HAY UN TRICERATOPS EN LA CASA DEL ÁRBOL

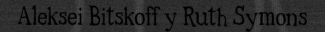

Aleksei Bitskoff y Ruth Symons

LAROUSSE

El triceratops era un **gran** dinosaurio que comía plantas. ¡Tenía tres

EDICIÓN ORIGINAL
Diseño: Duck Egg Blue
Gerente editorial: Victoria Garrard
Gerente de diseño: Anna Lubecka
Experto en dinosarios: Chris Jarvis

EDICIÓN EN ESPAÑOL
Dirección editorial: Tomás García Cerezo
Gerencia editorial: Jorge Ramírez Chávez
Traducción: E.L., S.A. de C.V.,
con la colaboración de Adriana Santoveña Rodríguez
Formación: Susana C. Cardoso Tinoco
Corrección: Alma Martínez Ibáñez
Adaptación de portada: E.L., S.A. de C.V.,
con la colaboración de Sergio Ávila Figueroa

Título original: *There's a Triceratops in the Tree House*

Publicado originalmente en Reino Unido en 2013 por
QED Publishing
A Quarto Group company
230 City Road
Londres ECIV 2TT

Copyright © QED Publishing 2013

D.R. © MMXIII E.L., S.A. de C.V.
Renacimiento 180, Col. San Juan Tlihuaca,
Delegación Azcapotzalco,
México, 02400, D.F.

PRIMERA EDICIÓN, septiembre de 2013
PRIMERA REIMPRESIÓN, junio de 2015

ISBN 978-1-78171-482-9 (QED)
ISBN 978-607-21-0779-3 (Ediciones Larousse)

Impreso en China – *Printed in China*

enormes cuernos en la cabeza!

Vivió hace alrededor de **70 millones** de años, muchos millones de años antes de que aparecieran los primeros humanos.

¡Pero imagina qué pasaría si el triceratops viviera ahora! ¿Cómo se las arreglaría en la vida moderna?

¿Y si el triceratops jugara en un equipo de futbol?

Tenía piernas fornidas para correr de un lado a otro en la cancha.

¡Pero podría **pinchar** el balón con sus afilados cuernos!

Aunque con sus cuernos de un metro de largo, del tamaño de un palo de hockey, el triceratops sería buenísimo en el hockey sobre hielo.

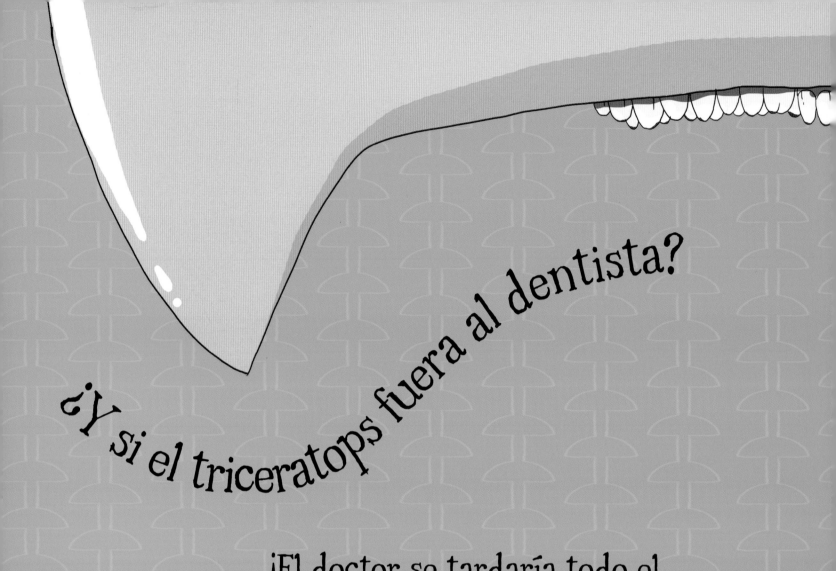

¿Y si el triceratops fuera al dentista?

¡El doctor se tardaría todo el día revisando sus dientes!

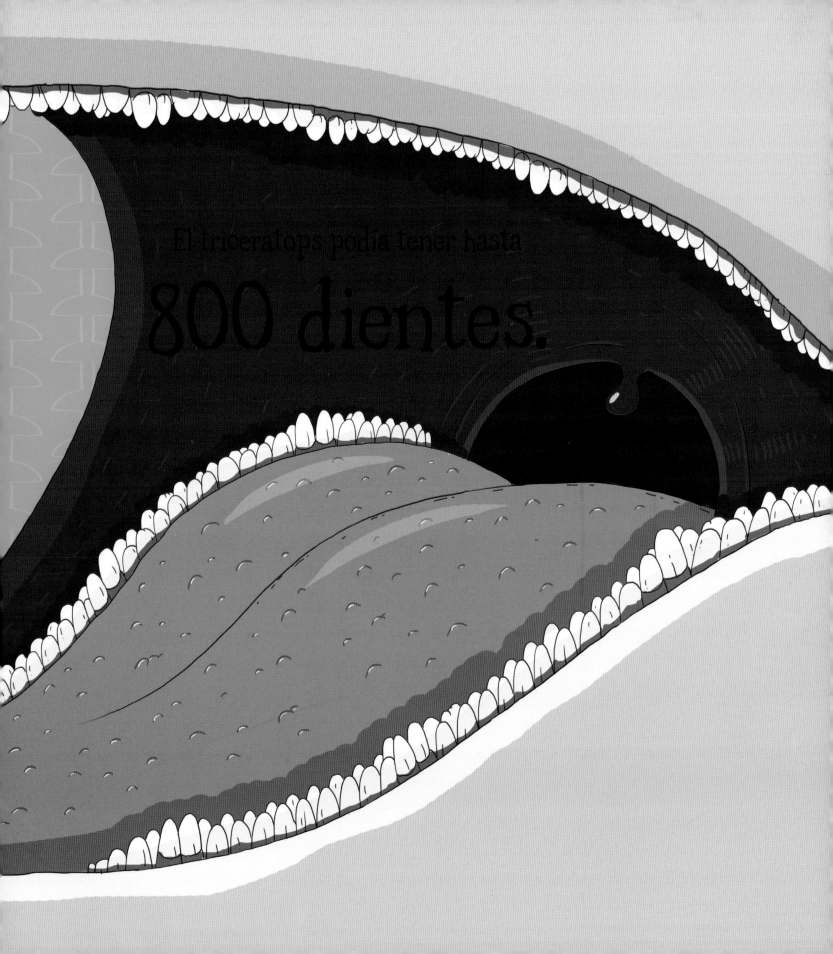

El triceratops podía tener hasta

800 dientes.

¿Y si el triceratops viajara en tren?

Con sus nueve metros de largo, era casi del tamaño de un vagón de tren.

No cabría con los demás pasajeros.

¡Pero podría viajar en el
vagón de las
mercancías!

¿Y si el triceratops saliera de vacaciones?

Con su afilado pico como de loro, podría abrir unos cocos fácilmente, iy hacer unas ricas bebidas para todos los vacacionistas en la playa!

Pero el triceratops preferiría mascar unas hojas de palma. Sus afilados dientes eran perfectos para rebanarlas.

¿Acaso el triceratops era más alto que mi papá?

Este dinosaurio era mucho más **alto** que cualquier humano. Tan sólo su cráneo era más alto que tu papá, ¡media 2.5 metros de largo!

Los bebés triceratops eran mucho más pequeños que sus padres. ¡Su cabeza era apenas más grande que la tuya!

¿Y si el triceratops viajara?

Se divertiría mucho, en especial
en algún castillo. ¡Incluso podría
jugar a ser un caballero!

El triceratops no necesitaría una armadura, pues su **gruesa piel** le daba una buena protección.

No necesitaría una lanza, pues tenía **dos largos cuernos** en la cabeza.

¡Y era más **grande** que cualquier caballo!

¿Y si el triceratops se subiera a un globo aerostático?

¡Tendría que ser un globo muy grande!

El triceratops pesaba 4.5 toneladas.
Eso es lo que pesan 200 niños.

¿Y si el triceratops tuviera mucho calor?

Los animales se mantienen frescos de distintas formas. Los humanos sudan y los perros jadean.

Pero el triceratops utilizaría la placa que tiene en la cabeza para refrescarse.

La sangre que fluía hacia la placa se llevaba el calor de su cuerpo. El triceratops sólo tenía que encontrar alguna sombra o una rica y fresca brisa.

¿Y si el triceratops visitara mi casa del árbol?

Sería demasiado **grande** y **pesado** para subir al árbol.
Y sus patas gruesas y pies robustos le dificultarían trepar la escalera.

¡Pero ayudaría a todos a bajar!

El esqueleto de un triceratops

Todo lo que sabemos sobre el triceratops proviene de los fósiles, esqueletos que han estado enterrados durante miles y miles de años.

Los científicos pueden estudiar los fósiles para imaginar cómo vivían los dinosaurios en el pasado.

Eso quiere decir que sabemos mucho sobre los dinosaurios, ¡aunque nadie ha visto ninguno!

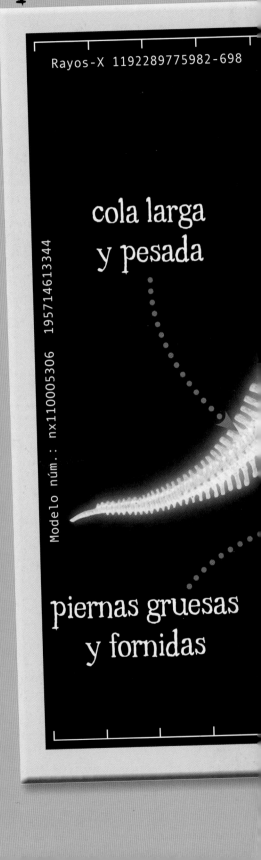

Rayos-X 1192289775982-698

Modelo núm.: nx110005306   195714613344

cola larga y pesada

piernas gruesas y fornidas

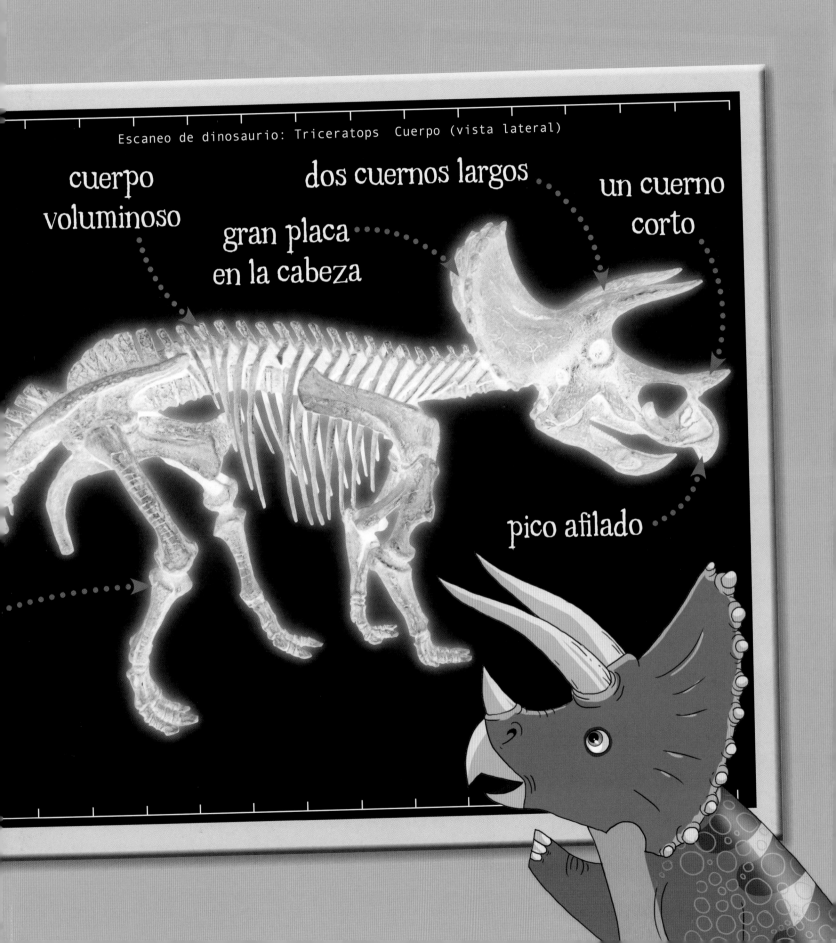

Escaneo de dinosaurio: Triceratops Cuerpo (vista lateral)

cuerpo
voluminoso

dos cuernos largos

un cuerno
corto

gran placa
en la cabeza

pico afilado